수학 교과서로 시작하는 수학

수학 교과서로 시작하는 수학

발 행 | 2024년 5월 2일
저 자 | SONNE
펴낸이 | 한건희
펴낸곳 | 주식회사 부크크
출판사등록 | 2014.07.15.(제2014-16호)
주 소 | 서울특별시 금천구 가산디지털1로 119 SK트윈타워 A동 305호
전 화 | 1670-8316
이메일 | info@bookk.co.kr

ISBN | 979-11-410-8338-0

www.bookk.co.kr
ⓒ SONNE 2024

수학 교과서로 시작하는 수학

SONNE 지음

목차

교과서로만 공부했다는 어느 학생의 인터뷰는 사실이 아니라고 한다. 그럼에도 그 학생은 교과서가 공부의 시작이라 말했고, 공부의 흐름을 교과서로 알게 되었다고 말했다. 이 인터뷰는 과거 십여 년 전의 인터뷰이지만 입시의 풍파가 여전히 휘몰아치는 현재에도 새겨들을 말들이 포함되어 있다. 지금 학교에서 수학 수업은 교과서가 있지만 온전히 교과서로만 수업이 이루어지지 않고 있다. 선생님들의 재량에 의해 유인물들이 추가로 주어지지만, 아이들은 새 학기가 시작되면 교과서를 받는다.

선생님들은 교과서로 수업 연구를 한다. 그것도 매년 알고 있는 내용이지만, 교과서를 펴놓고 이리저리 표시를 해가면서 자신의 수업을 구상한다. 교과서는 이들에게 이야기책과 같아서 말의 흐름, 중요한 내용, 재미있는 내용, 꼭 알아야 하는 내용, 전에 말했던 내용과 연결되는 내용, 복선으로 작용하는 내용 등이 눈에 보인다. 교과서에 아무런 표시를 하지 않는 분도 계신다. 이런 내용의 흐름이 그들의 눈에는 형광펜으로 표시한 것처럼 보이기 때문에 아무런 흔적 없는 교과서가 될 수 있는 것이다.

이렇듯 교과서는 단원마다 필요한 내용들을 알기 쉽게 설명해 놓은 글이다. 물론 그 설명의 내용이 부족할 수 있다. 그 부분은 선생님이 보충 설명하여 내용을 더욱 풍부하게 해줄 수 있다. 선생님의 설명이 교과서의 내용을 보충해 주는 내용임을 알아야 하는 것이 중요하다는 것이다. 교과서를 정리하면 이런 구조들이 눈에 보이고, 수업의 질을 높일 수 있으며, 문제마다 출제 의도를 파악하기 쉽다.

수학에서, 특히 도형 영역에서 수준의 도약이 일어나는 과정을 '명료화하기'라 명명한다. 단어 그 자체로 큰 덩어리를 중요한 작은 덩어리만 남기는 과정을 의미하지 않는다. 수학에서는 학습자가 자신이 이해한 표현대로 정리하는 것을 뜻한다. 원기둥을 보고 동전을 여러 개 쌓은 것이라 적어둔 것 역시 명료화한 표현이라 한다. 주로 '나의 언어로 표현하기', '내가 이해한 대로 설명하기'로 불리는 이 명료화 과정은 수학 학습에 있어서 학습자가 능동적으로 학습하는 중요한 과정이다.

실제로 다른 과목들과 달리, 수학 노트를 만드는 학생들이 극히 적다. 그렇지만 공부를 잘한다는 학생들을 보면, 수학 노트를 정리하여 갖고 있는 학생도 있고 수학 교과서를 수학 노트로 사용하고 있는 학생도 있다. 자신이 접근하기 쉬운 것을 중심으로 정리가 되어 있고 언제든지 이를 활용할 준비가 되어 있다는 것이다.

교과서 정리를 완벽하게 정리하여, 새로운 교과서를 만드는 것이 목적이 아니다. 각 주제에 맞게 내가 이해하고 있는 흐름을 잘 정리해 두면, 문제를 통해 생각의 오류를 발견할 수도 있고 이를 수정하며 명확한 학습이 이루어질 수 있다. 선생님들은 이 명료화 과정을 수없이 반복하고 경험하며 자신의 체계를 만들어, 그 내용을 설명할 뿐이다. 내가 이해하는 나의 수학 노트는 내가 원하는 대로 결과를 바꿀 만큼의 힘을 지닐 것이다.

수학 교과서 정리의 기초

정리의 의미

'수학 교과서를 정리한다.'라는 것을 '수학 교과서 옮겨쓰기'로 인식하면 안 된다. 도저히 못 하겠다고 하는 아이들은 문제집에 요약된 것을 적으라 하지만, 뻔하게도 이 방법으로 하면 학습이 되지 않는다.

정리가 잘 되어 있는 도서관의 모습을 떠올려 보아라. 정리는 알기 쉽게 나타내는 것, 찾기 쉽게 나타내는 것을 뜻한다. 이 정리된 것을 보는 주체는 공부하는 '나'이다. 결국, 내가 이해한 것을 내가 알기 쉽게 표현하는 것을 정리라 한다. 내가 스스로 정리한 내용 중에 잘못된 내용이 있어도 괜찮다. 잘못된 내용을 찾아내어 수정하는 것도 정리의 일부이며, 공부이다. 오히려 잘못된 내용이 곳곳에 숨어있어, 계속 들여다보게 만드는 것이 좋다. 이것이 수학 선생님들이 원하는 개념 공부이다.

　학교 수업의 진도에 맞추어 해나가는 교과서 정리는 학교 수업뿐만 아니라 스스로 학습의 질을 향상하는 방법이다. 자기 만족감이 높아지고 수학에 대한 자신감을 기를 수 있고 수업에 적극적으로 참여하게 되며 동시에 다른 과목에도 도전해 보면 어떨까, 하는 도전 정신도 기를 수 있다. 선생님이 하는 말의 뜻을 이해한다는 사실 만으로도 학교에서 지내는 학교생활이 지루하지 않을 것이다. 오히려 학교에 있는 것이 재미있어 더 있고 싶다는 말이 나올지도 모른다.

　이 책에서 말하는 정리는 수업을 들은 후의 작업이다. 예습으로 교과서의 구조에 따라 글을 읽는 것은 수업을 효과적으로 듣기 위한 방법이고 복습은 학습한 내용을 자기 것으로 만드는 과정이다. 그러한 수학 공부를 하는 과정에 큰 중심이 교과서를 정리하는 것이다.

나만의 읽기 패턴 만들기

　수학 교과서를 자세히 살펴본 적이 있는 학생들은 생각보다 많지 않다. 아마 새 학년 첫 수업 시간에 목차를 살펴보는 데에 그치는 학생들이 대부분일지도 모른다. 교과서와 문제집 모두 목차와 함께

각 항목의 역할과 쓰임을 설명하는 길라잡이를 보며, 중점적으로 파악해야 할 것이 무엇인지 명확히 해야 한다.

초등학교 – 중학교 – 고등학교의 수학 교과서의 구성은 주어진 [그림1]과 같다. 9종 교과서 모두 이와 같은 형식을 지닌다.

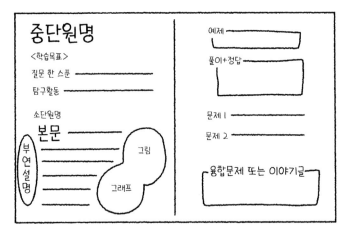

[그림1]

교과서는 쓰여있는 그대로, 순서대로 읽으면 된다. 다만 읽을 때, 스스로 표기 약속을 하나 만들자. 이 표기 방법은 색상과 기호를 이용하여, 내용을 더욱 효과적으로 이해하는 시각화 활동이다.

대단원명 → 중단원명 → 학습 목표 → 질문 → 탐구활동
→ 그림, 그래프를 참고하며 본문 → 예제 → 문제 → 융합 문제

① 연필로 중요하다고 생각하는 부분에 밑줄, 중요한 개념에
   네모 표시하기

② 파란색 펜으로 이해되지 않은 부분에 밑줄, 모르는 개념에
   네모 표시하기

++ 파란색으로 표시한 부분의 근처에 해당 개념 및 내용과 관련한 부가 설명을 역시 파란색 펜으로 적는다. 인터넷, 책 등을 충분히 활용하여 자신이 이해한 표현 그대로 적는다. 하지만 파란색으로 적어둔 것은 시간이 지나면 잊기 쉬운 내용이기 때문에, 이 점을 유의하여 복습할 때 놓치지 말자.

++ 읽다가 막히는 부분 역시 체크✓ 해두어야 한다. 자신이 생각할 때, 논리적인 흐름에 장애물이 있다고 하면 분명 이유가 있을 것이다. 교과서에서 설명 없이 갑자기 무언가가 등장한다면, '외워!'가 아니라 이게 왜 나왔을지 '생각해 봐!'가 맞는 방향이다. 끊긴 흐름을 되찾는 것 역시 공부의 한 영역이다. 문장마다 자연스러운 이해가 이루어지는지 꼼꼼히 읽자.

이렇듯, 간단히 읽는 과정에도 일정한 규칙을 정해놓으면 이후에 교과서를 살펴보아도 내 생각의 흐름을 파악할 수 있다. 또한 여러 표시 형식으로 아는 것과 모르는 것을 쉽게 구분할 수 있다. 그러기 위해, 색상은 반드시 통일하여 자신이 만든 규칙을 유지하는 것이 중요하다.

돋보기 효과

단원마다 학습 목표가 있다. 주로 중단원명 근처에 한 문장으로 나타나 있다. '~할 수 있다.'라고 쓰여 있는 그 문장을 모두 '~할 수 있는가?'의 물음표로 바꾸어 생각하자.

'소인수분해를 할 수 있다.' → '소인수분해를 할 수 있는가?'

학교 시험 문제는 이렇게 만들어진다. 학습 목표를 샅샅이 분해하여 수업을 들은 학생들이 학습 목표를 달성하였는지 확인하기 위한 문제를 만드는 것이다. 시험 문제가 만들어지는 방법을 알고 이와 유사하게 공부한다면, 공부해야 할 내용이 뚜렷한 효과적인 학습법이 된다.

나만의 읽기 패턴에 이어, 학습 목표로부터 얻게 된 질문을 학습한 후 대답할 수 있어야 한다. 답에 해당하는 내용에 형광펜으로 표시하는 것이 세 번째이다. 이것은 공부하며 중점적으로 알고 있어야 하는 부분을 의미하기 때문에 주의 깊게 살펴보아야 하는 내용이다.

③ 형광펜으로 학습 목표에 부합하는 부분에 표시하기

앞서 ①의 방법에서 연필로 그은 밑줄과 ③의 형광펜으로 표시한 내용이 일치한다면 올바르게 교과서를 읽었다고 할 수 있겠다. 돋보기는 내가 원하는 곳을 원하는 만큼 크게 보는 데 탁월한 역할을 하지 않나. 형광펜으로 표시한 부분은 유독 해당 페이지에서 눈에 확 들어온다. 형광펜이 교과서에서는 돋보기 역할을 톡톡히 수행할 것이다.

수학 교과서 분석 및 구조화

현재 학습 위치 파악하기

나의 학습 수준을 파악하는 것이 아니라, 지금 공부 중인 위치를 파악하는 것을 말한다. 대단원, 중단원, 소단원을 먼저 확인하여 이전에 학습한 내용이 무엇인지 상기해야 한다. 현재 학습 중인 것을 '본 학습', 본 학습 이전에 이미 학습하여 알고 있는 내용을 '선수 학습 내용'이라 한다. 본 학습을 위해 선수 학습 내용을 완벽하게 숙지하는 것보다 현재 배우는 단원이 어디에 포함되어 있고 어떤 흐름으로 이어지는 것인지를 아는 것이 더 중요하다.

특히 교육과정에 비추어, 2015 개정 교육과정이라면 '수와 연산, 문자와 식, 기하, 함수, 확률과 통계' 중 어디에 포함되는지 확인하여야 한다. 2022 개정 교육과정이라면 '수와 연산, 변화와 관계, 도형과 측정, 자료와 가능성' 중 어디에 포함되는지 확인하여야 한다.

해당 영역의 성격에 맞추어 학습의 방향성을 정할 수 있기 때문이다. 계산, 이해, 추론, 문제해결 등 수학을 학습하면서 필요한 역량은 영역별로 더 중요한 역량이 있으므로 '①어떤 영역에 ②어느 대단원 중 여러 개의 중단원 가운데, 현재 이 ③중단원은 흐름에 비추어 볼 때 각 ④소단원은 이러한 연결성이 있다.'와 같이 파악하는 것을 시작으로 교과서를 분석한다.

교과서의 요소 이해하기

앞서 나타낸 교과서의 형식인 [그림1]을 다시 살펴보자.

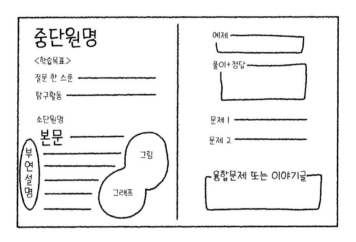

[그림1]

대단원/중단원명	공부하는 현재 위치를 나타내는 좌표
학습 목표	다음 중단원 전까지, 학습해야 할 내용. 반드시 평서문을 의문문으로 수정하여 이에 대한 답을 말할 수 있어야 한다.
질문 한 스푼	이 질문에 스스로 답을 할 수 있도록 노트 정리를 해야 한다.
탐구활동	본문의 내용을 학습하기 이전에 제시하는 활동이다. 이 탐구활동에서 강조하고자 하는 부분을 파악해야 한다. 개념에 접근하는 관점의 시작이다.
소단원명	이 중단원 내에서 가장 핵심이 되는 개념이다. 이 소단원이 주어졌을 때, 설명할 수 있도록 학습해야 한다.
본문	가장 중요한 부분. 앞에서 언급한 '나만의 읽기 패턴 만들기'를 적용해야 하는 부분이기도 하다. 내용의 논리적인 내용, 흐름과 구조를 파악해야 한다.
부연 설명	교과서에서 가장 친절한 부분. 이전 학년, 학기의 내용 중 필요한 내용을 간추려 적은 내용. 이 부분도 모른다면 표시해 두자.

그림, 그래프	교과서의 삽화는 단순한 그림이 아니다. 교과서의 내용에서 이미지화하기에 적당한 주제로 그린 것이기 때문에, 눈으로 익혀두자. 자연스럽게 개념이 연달아 떠오를 것이다. 그래프는 언제나 좋은 예 중 하나이므로, 교과서에서 제시한 그래프는 따로 그려보며 본문의 내용을 직접 손으로 확인하는 시간을 가져야 한다.
예제	본문 다음으로 중요한 문제이다. 예제는 특이하게 문제와 풀이 과정이 모두 나타나 있는 요소이다. 예제에서 눈여겨봐야 할 것은 앞서 본문에서 설명하고 있는 내용 중, 어떤 내용이 문제로 출제된 것인지 확인해야 한다. 다시 말해, 개념의 특정 부분을 문제로 만들어 둔 것이기 때문에 어떤 부분을 중점으로 만든 문제인지 반드시 표시해 두어야 한다.
문제1, 문제2	대략 2~3개의 문제가 예제를 뒤이어 비슷한 유형으로 등장한다. 예제에서 강조한 내용을 제대로 학습하였는지 확인하기 위한 요소이다.
융합문제 또는 이야기 글	융합 문제의 본문이나 예제에서 언급하거나, 등장하지 않은 내용이 아니라, 무심코 지나친 부분을 극대화하여 만든 문

제이다. 일반적으로 실생활과 관련된 문제이거나, 과학적 현상 및 관찰 상황을 문제로 나타난다. 여기에서는 기존의 개념이 어떻게 응용되는지, 활용되는지 알아야 한다. 또한 이야기 글은 개념의 유래 및 역사에 대해 언급한 내용으로 초, 중등 학생들에게는 읽기 자료로 활용되며 고등학생들에게는 자신만의 포트폴리오 또는 세부능력특기사항을 한 단계 발전시킬 수 있는 좋은 소재이기도 하다.

교과서의 요소와 이들의 역할을 나열해 보니, 겹치는 내용을 쉽게 찾을 수 있다. 한 개념에 대하여 여러 요소에서 본문의 내용이 중복되어 나타나는 것을 살펴볼 수 있다. 오로지 '내용'의 측면에서 [탐구활동] - [본문] - [예제]가 가장 밀접하고 강하게 연관되어 있다.

교과서 정리의 예

이렇게 파악된 요소들을 고려하여, 표시한 여러 기호를 바탕으로 교과서 정리를 시작할 수 있다. 이 정리를 교과서에 하는 것보다 노트에 정리하는 것을 추천한다. 앞서 말한 방법으로 교과서의 곳곳을 살펴보았다면, 이제는 이를 갖고 노트에 정리를 해야 한다. 무작정 말로만 설명하는 것보다, 예를 들어 보이는 것이 좋을듯싶다. 두 가지 노트를 준비하려 한다.

첫 번째는 중학교 2학년, 함수이다. 한 개의 중단원을 정리해 보려 한다. 제일 먼저 현재 학습의 위치를 확인하고 각 요소를 통해 알아야 할 것들을 나열한다.

대단원	중단원
4. 일차함수의 그래프	(1) 함수의 뜻
	(2) 일차함수의 그래프
	(3) 일차함수의 그래프의 절편과 기울기
	(4) 일차함수의 그래프의 성질
	(5) 일차함수의 식 구하기
	(6) 일차함수와 일차방정식
	(7) 두 일차함수의 그래프와 연립일차방정식

[천재교과서(류) 중학교 2학년 수학 교과서의 목차]

학습 목표	'함수의 개념과 일차함수의 의미를 이해한다.' → '함수의 개념과 일차함수의 의미를 이해할 수 있는가?'로 변환
질문 한 스푼	(1)함수는 무엇인가? (2)함숫값은 무엇인가? (3)일차함수는 무엇인가?
탐구활동	'지면으로부터의 높이'에 따른 '기온'의 변화
본문 (1)	두 변수 x, y에 대하여 x의 값이 변함에 따라 y의 값이 하나씩 정해지는 대응 관계가 있을 때, y를 x의 함수라고 한다.

(1)의 예제, 문제	'y가 x의 함수인가?'
본문 (2)	y가 x의 함수일 때, $y = f(x)$로 나타낸다. 함수에서 x의 값이 정해지면 그에 따라 정해지는 y의 값을 $f(x)$라고 하며 x의 함숫값이라 한다.
(2)의 예제, 문제	y가 x의 함수일 때, $f(x)$의 식과 함숫값 구하기
본문 (3)	함수 $y = f(x)$에서 y가 x에 대한 일차식 $y = ax + b$(단, a, b는 상수, $a \neq 0$)로 나타낼 때, 이 함수를 x에 대한 일차함수라고 한다.
(3)의 예제, 문제	y를 x의 식으로 나타내기, y가 x에 대한 일차함수인지 판단하기, 일차함수 찾기

위 요소들을 파악한 뒤, 작성한 노트는 다음의 [그림2]와 같다. 형식 면에서 실제로 교과서의 해당 부분을 살펴보면 노트로 정리한 것과 다르다. 교과서는 글로 적혀있고 노트는 구조화된 상태이기 때문이다. 알아야 하는 내용은 검은색으로, 선생님의 부연 설명이나 추가적인 설명이 필요한 부분은 파란색으로, 예제에서 강조하고자 하는 내용은 빨간색으로 필기한 내용이다. 교과서를 정리하며 표시한 규칙과 유사한 방법으로 필기한다. 또 필기에 앞서 파악한 요소들과 필기한 내용을 비교하여 보면, 필기의 내용이 꽤 함축적으로 잘 쓰여있다는 것을 확인할 수 있을 것이다.

[그림2]

　두 번째 다음의 [그림3]은 고등학교 1학년, 복소수와 이차방정식이다. 한 개의 소단원을 정리하고, 이번에는 요소 파악 없이 필기해 본다.

　교과서 한 권만 가지고 이와 같은 방법으로 충분히 자신이 원하는 필기를 할 수 있다. 잘 정리되어 있는 많은 문제집 역시 이와 같은 방법으로 만들어진 것이다. 또한, 교과서와 학교 수업만으로 스스로 정리할 수 있는 능력을 기르는 것이 자기주도학습의 시작임을 알 수 있다. 나에게 가장 친절한 선생님은 나 자신이다.

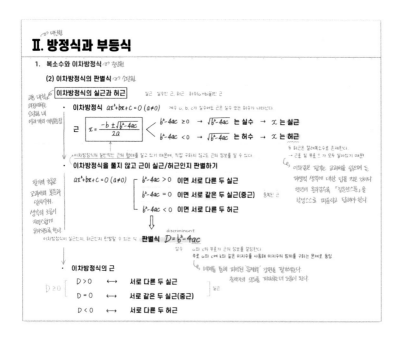

[그림3]

개념 마무리는 이렇게

개념 맵과 마인드 맵 활용하기

Map이라고 하면 거창하긴 하다. 쉽게 말해, 교과서에서 대단원이 종료될 때 나타나는 마무리 문제가 등장하게 된다면, 한 단원을 한 눈에 알아볼 수 있도록 한 장의 종이에 정리하여 보라는 것이다. 그림이 뒤엉켜도 좋고, 각각의 요소들을 나열해 보며 연관된 것을 다양한 방법으로 연결해도 좋다. 최근 유행이었던 비주얼 싱킹 visual thinking 수업이 이것이다.

앞서 제시했던 예와 관련하여 중학교 2학년 함수 부분, 일차함수와 그래프를 정리하면 다음과 같다.

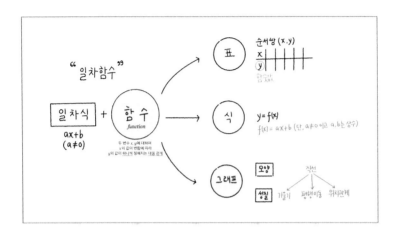

[그림4]

　자세한 내용으로 맵을 작성할 필요는 없다. 여태 나무를 보며 공부했으니, 숲을 보는 목적으로 하는 것이다. 또 여러 형태로 그림을 그리면, 각 단원 또는 영역마다 일정한 형태가 나타나는데 그것이 자신이 이해하고 있는 내용 체계이다. 이것이 선생님마다 수업 스타일이 다른 이유이며, 이러한 체계를 갖게 된 순간부터 내가 아닌 다른 누군가를 가르치는 것도 가능해진다. 따라서 전혀 모르는 내용을 접해도 큰 틀을 그린 상태에서 접근할 수 있는 기술이 생기는 것이다.

요약 작성 및 중요 내용 강조하기

학생들이 난감해하는 부분이 이 부분이다. 여태 방대한 양의 교과서를 정리하여, 노트를 완성했는데 또 요약을 하라니! 하지만 밀도 높은 공부를 위해서는 필요하다 생각한다. 방법은 여러 가지 있을 수 있지만, 여기에서는 두 가지를 제안한다.

첫째, 목차를 활용하자. 교과서의 맨 앞 장에는 약 7~8개의 대단원과 그에 따른 중단원들이 쭉 나열되어 있다. 오로지 제목만 적혀 있고 각 중단원 명 옆에 쓸 수 있는 공간이 존재한다. 여기에 필기나 교과서에 빨간색으로 표시해 두었던 중요한 부분만 간결하게 적는 것이다. 누군가가 적으라는 것을 적는 게 아니다. 교과서의 중요한 부분은 처음 연필로 밑줄도 쳤었고, 이것은 학습 목표에 대한 대답이기도 하며, 몰랐던 내용은 파란색으로 부연 설명도 적었고, 예제에서도 언급했던 내용이었던 부분이기 때문에 쉽고 간단히 적을 수 있다. 반복적으로 이 부분이 중요하다고 스스로 표시하였기 때문에 이를 믿고 자신감을 가지고 쓰자.

둘째, 포스트잇을 이용하자. 고학년으로 진급할수록 알아야 할 내용이 많아져서 목차에 단순히 간결하게 적는 것이 불가능할 때가 생긴다. 그럴 땐 포스트잇을 이용하면 좋다. 대신 포스트잇에 넣을 범위를 설정해야 한다. 소단원, 중단원, 대단원 등 단위를 정하여 일정하게 붙여두는 것이다. 포스트잇의 내용은 역시나 내가 공부한 내용 중 반복적으로 중요하다고 여긴 내용으로 채운다. 주의해야 할 점은 교과서의 내용을 있는 그대로 적는 것이 아니다. 효과적인 메모를 하는 것이다. 그림으로 큰 구조를 그려도 좋고, 그 구조 중 해당하는 부분만 표시하여도 좋다. 다만, 이 포스트잇으로 해당 페이지의 내용이 떠오를 수 있는지를 생각하며 작성해야 한다.

새로운 문제를 만난다면

정리 노트 활용하기

수학은 아쉽게도 이렇게 개념만 정리한다고 좋은 성적을 얻는 과목은 아니다. 문제를 다양하게 많이 풀어 보는 것이 개념 학습을 위해서 도움이 된다. 그래서 꾸준히 일정량을 풀며 학습된 상태를 유지해야 할 필요가 있다. 많은 문제집 가운데, 목적을 분명히 한 문제집을 두 권 고른다. 문제집을 사야 할 시점은 교과서 정리를 대단원 한 개 분량 정도를 마쳐가는 그쯤이 적당하다. 이 시점에서는 문제를 보고 스스로 풀 수 있는 문제인지, 아닌지 판단할 수 있다. 즉, 나에게 맞는 문제집을 고를 수 있다.

한 권은 자신에게 약간의 어려움은 있지만 조금만 고민하면 풀 수 있을 것 같은 수준의 문제집이어야 한다. 보통 유형별 문제집을 권한다. 서점에서 훑어보면 어렵게 느껴지는 문제들이 많지 않은 문제집이 좋다. 또 다른 한 권은 이전의 책보다 더 어려운 느낌을 주는 문제집이어야 한다. 흔히 고난이도 문제집, 상위권 학생들을 위한 문제집들이라 칭하는데 이런 명칭은 중요하지 않다. 특정 문제집을 꼽는 것보다 오로지 자신의 시선으로 살펴봐야 한다.

문제집을 두 권 골랐다면, 이제는 교과서를 중심으로 정리한 노트를 떠올리며 교과서의 목차를 기준으로 문제집의 목차를 구분해야 한다. 문제집마다 목차가 다르므로 이 작업을 할 필요가 있다. 종이에 나열하여도 좋고, 문제집에 표시를 해두어도 좋다. 교과서의 중단원 1개 또는 2개를 한 덩어리로 하여, 공부한 범위에 해당하는 문제를 푸는 것이다. 즉, 중단원마다 [교과서 정리] → [문제집1 풀기] → [문제집2 풀기]를 시행하는 것이다. 개인적으로 아이들을 관찰하였을 때, 초, 중, 고등학교에 관계 없이, 대단원 하나의 분량은 꽤 양이 많아 부담스럽다.

이러한 순서로 문제를 풀면 교과서에서 정리한 내용들이 어떻게 문제로 나타나는지, 개념을 어떠한 관점으로 접근해야 하는지 등이 보인다. 그렇지만 문제집의 모든 문제를 맞힐 수 있는 것은 아니다. 교과서에서는 나오지 않아서 중요하다고 생각하지 않았던 것이 문제로 나타나 당황했던 부분을 정리된 내용에 추가해야 한다. 이에 해당하는 내용은 생각보다 많지 않다. 그리고 교과서의 내용을 심화 및 활용한 내용일 테다. 이때에는 초록색으로 해당 내용을 교과서와 정리 노트에 간단히 적어두는 것이다.

단 두 권의 문제집으로 정리 노트는 단권화 노트가 되어 있을 것이다. 수학을 단권화하는 방법은 이 방법이 가장 효율적이다. 이쯤에는 중단원마다 이 과정으로 공부하기 때문에 문제마다 출제자의 의도가 보이기 시작한다.

고난이도 문제의 접근 방법

여전히 정리 노트만으로 모든 문제를 다 풀 수 있는 것은 아니다. 수학에서 요구하는 문제해결력을 확인하기 위해 만들어진 문제가 고난이도의 문제로 느껴진다. 이를 극복해야만 고득점을 얻을 수 있다. 이것은 중학생, 고등학생 할 것 없이 해당하는 내용이다.

고난이도 문제는 크게 두 가지 형태이다. 첫째는 기본 개념을 다른 관점으로 살펴보아야 하는 문제이다. 두 번째는 예제, 문제들을 혼합하여 만든 문제이다. 첫 번째의 경우는 교과서 정리 노트를 얼마나 효율적으로 정리하기 위해 노력하였는가에 따라 달려있다. 스스로 이해한 내용을 적어내려 노력하는 과정에서 겪는 고민의 시간을 충분히 가지면, 새로운 유형이라며 '신유형' 표기가 있는 문제나 언뜻 보기에는 쉽게 풀릴 것처럼 보이지만 잘 안 풀리는 문제들을 다른 학생들에 비해 쉽게 해결할 수 있다. 이전에는 존재하지 않았던 형태의 문제나 접근 방법이 고민되는 문제를 빠르게 파악하는 방법은 결국 개념을 제대로 이해하는 것이다. 다시 말해, 생각하는 힘을 길러야 한다는 것이다.

　두 번째의 경우는 쉽게 접할 수 있는 문제 유형이기도 하다. 한 문제에 다양한 수학 개념들이 나타나는 형태이다. 겉보기에는 확률 문제인 줄 알았는데 실제로는 단순 연산 문제가 여기에 해당한다. 또, 단계를 나누어 풀어야 하는 문제 역시 여기에 포함된다. 단계1, 단계2, … 이 순서로 풀지 않으면 풀 수 없는 문제들 말이다. 이때에는 구하고자 하는 것이 무엇인지 파악하고, 문제 전체의 큰 틀에서 필요한 개념부터 떠올리며 각 조건을 나열해 실마리를 찾아야 한다. 그 조건 중 몇 개를 연결 짓거나 결합하며 실마리를 찾을 수 있는데, 그 실마리의 시작은 교과서의 예제와 문제들이다. 알고 있는 것에서부터 이 문제가 시작되었다고 생각하면 조금은 접근하기 쉬울 것이다.

　그래서 고난이도 문제에서 핵심이 되는 개념과 그 개념접근 과정 역시 정리 노트에 표기해 두면, 이후 문제를 풀기 위해 필요한 아이디어를 떠올리는 데 도움이 된다. 이러한 연습을 바탕으로 반복이 이루어지면 문제를 푸는 관점에도 변화가 나타난다.

학교 시험 대비
　학교 시험 문제는 앞서 말한 문제집1과 비슷한 문제집을 한 권

더 풀어가면 쉽게 학습할 수 있다. 그래도 시험 기간에는 시험공부를 해야 하는 것이 맞으니, 효율적으로 공부하는 것이 좋겠다. '개념 마무리는 이렇게'의 '요약 작성 및 중요 내용 강조하기'에서 말한 방법 두 가지를 이용하는 것이다.

첫째, 목차를 활용한다면 빈 종이에 목차만 펼쳐놓고 알고 있는 내용을 적어 보는 것이다. 목차의 중단원 옆에 중요하다고 여기는 내용들이 적혀있을 테니, 이것을 토대로 알고 있는 것을 쭉 적는 것이다. 둘째, 포스트잇을 활용한다면 붙여둔 포스트잇 중 시험 범위에 해당하는 포스트잇을 종이 한 장에 모두 모아 마찬가지로 빈 종이에 해당 내용을 아는 만큼 적는 것이다. 다 적은 종이와 정리 노트를 비교해 가며 놓친 부분을 파악하며 공부하는 것이다.

학교 시험은 시험 범위가 한정적이기 때문에 흔히 말하는 교과서 끄트머리에서 출제되었다는 말이 있을 정도로 모든 내용을 샅샅이, 또 정확히 알아야 할 필요가 있다. 다행히 수학은 다른 과목과 다르게 작은 글씨로 적혀있는 내용들의 대부분 새로운 내용이 없어서 비교적 수고가 덜하다. 그렇지만, 알고 있는 것을 얼마나 제대로 알고 있는지 확인하는 과정은 중요하다. 45분 또는 50분 동안 알고 있는 내용들을 최대한 활용하여 문제를 풀어야 하기 때문이다. 이와 같은 인출학습, 아웃풋 학습은 내가 얼마나 제대로 알고 있는지 확인하는 방법이므로 중요하다.

복습 및 기억력 강화

효과적인 복습

학생들에게 많이 받는 질문 중 하나다. 수학은 문제 푸는 것 말고, 복습을 어떻게 해야 하는지에 대해서 말이다. 교과서 정리를 하고, 문제들을 많이 풀고, 다시 정리 노트를 확인하면 노트의 내용이 내 머릿속에 있는 것 같은 느낌이 든다. 문제를 보아도, 노트를 넘겨도 다 알고 있는 내용이라는 생각이 든다. 그래서 복습하라고 하면 노트만 몇 번 뒤적이다 다 알고 있다고 말한다.

에빙하우스의 망각 곡선에 의하면 일주일 정도 시간이 흐르면 학습한 내용의 25% 정도만 기억하고 있다고 한다. 절반도 기억하고 있지 않다는 것이다. 어떤 음악을 들으면 몇 년 전 이 노래를 누구와 어느 장소에서 어떤 옷을 입고 어떤 행동을 하고 있을 때 들었는지 기억하는 것처럼, 인간의 기억은 인출을 통해 그 힘을 갖는

경우가 종종 있다. 학교 시험 대비를 위한 '효과적인' 복습은 개인적으로 필요하지 않다고 생각한다. 교과서 정리와 문제집을 푸는 습관을 지닌 학생이라면 정기고사(중간고사, 기말고사)와 그다음 정기고사 사이에 자신의 공부를 하기에도 시간이 부족하다는 생각이 들기 때문이다. 조금 더 큰 시험, 예를 들면 모의고사나 대학수학능력시험, 학력평가와 같이 시험 범위가 넓고, 오랫동안 배운 내용들을 한 번에 치르는 시험에서 필요한 것이 '효과적인' 복습이라 생각한다.

학교 시험을 대비했을 때와 비슷한 방법으로 복습해도 좋다. 목차를 활용하거나 포스트잇을 활용하는 것 말이다. 또 괜찮은 방법의 하나는 제비뽑기이다. 네이버에 제비뽑기를 검색하면 제비뽑기를 할 수 있지만, 내용을 적을 수 없어서 '당첨자 추첨'을 검색한다. 여기에 10가지의 중단원 제목을 무작위로 적어둔다. 자신 있는 것만 적어도 좋고, 아무 기준 없이 보이는 대로 적어도 좋다. 입력 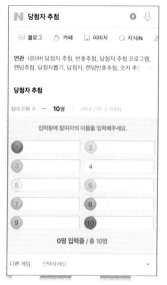 을 한 후, 공을 뽑아서 나온 중단원에 관해 설명하는 것을 휴대전화로 녹화하는 것이다.

COVID-19가 절정에 달했을 때, 학습 과제로 내었던 것 중의 하나가 개념 설명이나 문제 풀이를 동영상으로 촬영하여 제출하는 것이었다. 녹화된다는 사실만으로도 실수 없이 말하고 싶은 심리가 있어서인지 학생들이 정말 잘 수행했던 기억이 있다. 학습의 수준과는 상관 없이, 자신이 이해한 것들을 녹화하여 보고 듣는 활동을 하면 수정해야 할 행동들이 보인다. 물론, 친한 친구와 이 활동을 함께하고 서로 피드백해 준다면 최고의 학습이 될 것이다.

효과적인 복습은 부담스럽지 않은 상황에서, 즉 자신의 기량을 보일 수 있는 상황에서 알고 있는 것을 충분한 시간 동안 표현하는 것이다. 동영상 학습 과제에서 칠판에 푸는 장면을 찍은 학생, 노트에 푸는 장면을 찍은 학생, 인형을 두고 노트를 세워 찍은 학생 등 다양했다. 이 학생들에게 1년이 지나고 그 내용을 물었던 적이 있었는데, 꽤 많은 내용을 아주 자세히 기억하고 있었다. 이 학생들은 이제 '학습한 지식'에서 '기억한 지식'을 지나 '알고 있는 내용'을 경험한 것이다.

기억력 강화를 위한 방법

기억력을 증진하는 방법에는 여러 가지가 있다. 제일 쉬운 것은 여러 번 보는 것이 아니겠는가? 반복, 복습, 연상하여 떠올리기 등 다양한 방법들이 존재한다. 물론 자신에게 제일 적합한 방법을 유지하는 것이 중요하다. 나의 경험을 비추어 볼 때, 말하고 - 듣고 - 쓰고 - 읽는 활동이 학생들의 기억에 가장 오래 남았다.

수학은 하나의 언어이다. 수학을 배우는 목적에는 과학적 태도를 기르는 것도 포함된다. 그 이유를 찾아보면 과학에 사용되는 공통된 언어가 곧 수학이기도 하기 때문이다. 다른 나라의 언어를 배울 때 말하기 - 듣기 - 쓰기 - 읽기의 균형을 잘 유지해 가며 배우는 것을 수학에도 접목하는 것이다.

학생으로서 할 수 있는 것은 '효과적인 복습'에서도 말한 설명하는 방법과 더불어 독서하기, 여러 문제를 지속해서 푸는 것이 있다. 수학과 관련된 책을 읽는 것은 새로운 내용을 학습하기 위해서 읽는 것이 아니다. 학습한 내용의 주변 상황 및 배경을 이야기 글을 통해 알아가며 개념을 더 풍부하게 만드는 것이다. 만유인력의 법칙을 배운 학생과 그 내용을 더해 뉴턴이 나무 아래에서 떨어진 사과를 보며 만유인력의 법칙을 생각해 내었다는 이야기까지 알고 있는 학생은 기억의 깊이가 다르다는 것이다.

사고의 방향에는 수렴적 사고와 발산적 사고가 있다. 수학 문제를 풀 땐 발산적 사고와 수렴적 사고가 동시에 필요하다. 문제에서 구하고자 하는 것에 맞추어 필요한 개념들을 답을 향해 나아가는 것을 수렴적 사고라 한다. 하지만 동시에 수학은 발산적 사고를 해야 한다. 하나의 개념이 주어질 때, 알고 있는 내용들을 떠올려 설명하며 비교하거나 분석할 수 있어야 한다. 문제에서 구하고자 하는 것에 필요한 개념을 떠올리는 과정이 발산적 사고이다. 발산적 사고는 곧 학습한 내용을 기반으로 하므로 많은 내용을 기억하는 것이 중요하다. 효율적으로 기억하는 것은 결국 핵심이 되는 내용을 이해하고 있는 것으로 생각한다.

노트 정리를 1년 치를 완성한 후, 다음 해에 이 노트를 보고 있으면 너무나도 지저분하여 다시 정리하고 싶은 마음이 생길 때도 있다. 그 마음은 노트 정리를 이용하여 깨끗한 교과서를 만들고 싶은 욕구이니 고이 접어 두자.

참고 자료

초등학교 1~2학년

수 와 연 산	네 자리 이하의 수	2수01-01	0과 100까지의 수 개념을 이해하고 수를 세고 읽고 쓸 수 있다.
		2수01-02	일, 십, 백, 천의 자릿값과 위치적 기수법을 이해하고, 네 자리의 수를 읽고 쓸 수 있다.
		2수01-03	네 자리 이하의 수의 범위에서 수의 계열을 이해하고, 수의 크기를 비교할 수 있다.
		2수01-04	하나의 수를 두 수로 분해하고 두 수를 하나의 수로 합성하는 활동을 통하여 수 감각을 기른다.
	두 자리 수 범위의 덧셈과 뺄셈	2수01-05	덧셈과 뺄셈이 이루어지는 실생활 상황을 통하여 덧셈과 뺄셈의 의미를 이해한다.
		2수01-06	두 자리 수의 범위에서 덧셈과 뺄셈의 계산 원리를 이해하고 그 계산을 할 수 있다.
		2수01-07	덧셈과 뺄셈의 관계를 이해한다.
		2수01-08	두 자리 수의 범위에서 세 수의 덧셈과 뺄셈을 할 수 있다.
		2수01-09	□가 사용된 덧셈식과 뺄셈식을 만들고, □의 값을 구할 수 있다.
	곱셈	2수01-10	곱셈이 이루어지는 실생활 상황을 통하여 곱셈의 의미를 이해한다.
		2수01-11	곱셈구구를 이해하고, 한 자리 수의 곱셈을 할 수 있다.
도 형	입체 도형의 모양	2수02-01	교실 및 생활 주변에서 여러 가지 물건을 관찰하여 직육면체, 원기둥, 구의 모양을 찾고, 그것들을 이용하여 여러 가지 모양을 만들 수 있다.
		2수02-02	쌓기나무를 이용하여 여러 가지 입체도형의 모양을 만들고, 그 모양에 대해 위치나 방향을 이용하여 말할 수 있다.
	평면 도형과 그 구성 요소	2수02-03	교실 및 생활 주변에서 여러 가지 물건을 관찰하여 삼각형, 사각형, 원의 모양을 찾고, 그것들을 이용하여 여러 가지 모양을 꾸밀 수 있다.
		2수02-04	삼각형, 사각형, 원을 직관적으로 이해하고, 그 모양을 그릴 수 있다.
		2수02-05	삼각형, 사각형에서 각각의 공통점을 찾아 말하고, 이를 일반화하여 오각형, 육각형을 알고 구별할 수 있다.
측 정	양의 비교	2수03-01	구체물의 길이, 들이, 무게, 넓이를 비교하여 각각 '길다, 짧다.', '많다, 적다.', '무겁다, 가볍다.', '넓다, 좁다.' 등을 구별하여 말할 수 있다.
	시각과 시간	2수03-02	시계를 보고 시각을 '몇 시 몇 분'까지 읽을 수 있다.
		2수03-03	1시간은 60분임을 알고, 시간을 '시간', '분'으로 표현할 수 있다.
		2수03-04	1분, 1시간, 1일, 1주일, 1개월, 1년 사이의 관계를 이해한다.

		2수03-05	길이를 나타내는 표준 단위의 필요성을 인식하고, 1cm와 1m의 단위를 알며, 상황에 따라 적절한 단위를 사용하여 길이를 측정할 수 있다.
		2수03-06	1m가 100cm임을 알고, 길이를 단명수와 복명수로 표현할 수 있다.
	길이	2수03-07	여러 가지 물건의 길이를 어림하여 보고, 길이에 대한 양감을 기른다.
		2수03-08	구체물의 길이를 재는 과정에서 자의 눈금과 일치하지 않는 길이의 측정값을 '약'으로 표현할 수 있다.
		2수03-09	실생활 문제 상황을 통하여 길이의 덧셈과 뺄셈을 이해한다.
규 칙 성	규칙 찾기	2수04-01	물체, 무늬, 수 등의 배열에서 규칙을 찾아 여러 가지 방법으로 나타낼 수 있다.
		2수04-02	자신이 정한 규칙에 따라 물체, 무늬, 수 등을 배열할 수 있다.
자 료 와 가 능 성	분류 하기	2수05-01	교실 및 생활 주변에 있는 사물들을 정해진 기준 또는 자신이 정한 기준으로 분류하여 개수를 세어보고, 기준에 따른 결과를 말할 수 있다.
	표 만들기	2수05-02	분류한 자료를 표로 나타내고, 표로 나타내면 편리한 점을 말할 수 있다.
	그래프 그리기	2수05-03	분류한 자료를 O, X, / 등을 이용하여 그래프로 나타내고, 그래프로 나타내면 편리한 점을 말할 수 있다.

초등학교 3~4학년

수 와 연 산	다섯 자리 이상의 수	4수01-01	10000 이상의 큰 수에 대한 자릿값과 위치적 기수법을 이해하고, 수를 읽고 쓸 수 있다.
		4수01-02	다섯 자리 이상의 수의 범위에서 수의 계열을 이해하고 수의 크기를 비교할 수 있다.
	세 자리 수의 덧셈과 뺄셈	4수01-03	세 자리 수의 덧셈과 뺄셈의 계산 원리를 이해하고 그 계산을 할 수 있다.
		4수01-04	세 자리 수의 덧셈과 뺄셈에서 계산 결과를 어림할 수 있다.
	곱셈	4수01-05	곱하는 수가 한 자리 수 또는 두 자리 수인 곱셈의 계산 원리를 이해하고 그 계산을 할 수 있다.
		4수01-06	곱하는 수가 한 자리 수 또는 두 자리 수인 곱셈에서 계산 결과를 어림할 수 있다.
	나눗셈	4수01-07	나눗셈이 이루어지는 실생활 상황을 통하여 나눗셈의 의미를 알고, 곱셈과 나눗셈의 관계를 이해한다.
		4수01-08	나누는 수가 한 자리 수인 나눗셈의 계산 원리를 이해하고 그 계산을 할 수 있으며, 나눗셈에서 몫과 나머지의 의미를 안다.
		4수01-09	나누는 수가 두 자리 수인 나눗셈의 계산 원리를 이해하고 그 계산을 할 수 있다.
	분수	4수01-10	양의 등분할을 통하여 분수를 이해하고 읽고 쓸 수 있다.
		4수01-11	단위분수, 진분수, 가분수, 대분수를 알고, 그 관계를 이해한다.

		4수01-12	분모가 같은 분수끼리, 단위분수끼리 크기를 비교할 수 있다.
	소수	4수01-13	분모가 10인 진분수를 통하여 소수 한 자리 수를 이해하고 읽고 쓸 수 있다.
		4수01-14	자릿값의 원리를 바탕으로 소수 두 자리 수와 소수 세 자리 수를 이해하고 읽고 쓸 수 있다.
		4수01-15	소수의 크기를 비교할 수 있다.
	분수와 소수의 덧셈과 뺄셈	4수01-16	분모가 같은 분수의 덧셈과 뺄셈의 계산 원리를 이해하고 그 계산을 할 수 있다.
		4수01-17	소수 두 자리 수의 범위에서 소수의 덧셈과 뺄셈의 계산 원리를 이해하고 그 계산을 할 수 있다.
도형	도형의 기초	4수02-01	직선, 선분, 반직선을 알고 구별할 수 있다.
		4수02-02	각과 직각을 이해하고, 직각과 비교하는 활동을 통하여 예각과 둔각을 구별할 수 있다.
		4수02-03	교실 및 생활 주변에서 직각인 곳이나 서로 만나지 않는 직선을 찾는 활동을 통하여 직선의 수직 관계와 평행 관계를 이해한다.
	평면도형의 이동	4수02-04	구체물이나 평면도형의 밀기, 뒤집기, 돌리기 활동을 통하여 그 변화를 이해한다.
		4수02-05	평면도형의 이동을 이용하여 규칙적인 무늬를 꾸밀 수 있다.
	원의 구성 요소	4수02-06	원의 중심, 반지름, 지름을 알고, 그 관계를 이해한다.
		4수02-07	컴퍼스를 이용하여 여러 가지 크기의 원을 그려서 다양한 모양을 꾸밀 수 있다.
	여러 가지 삼각형	4수02-08	여러 가지 모양의 삼각형에 대한 분류 활동을 통하여 이등변삼각형, 정삼각형을 이해한다.
		4수02-09	여러 가지 모양의 삼각형에 대한 분류 활동을 통하여 직각삼각형, 예각삼각형, 둔각삼각형을 이해한다.
	여러 가지 사각형	4수02-10	여러 가지 모양의 사각형에 대한 분류 활동을 통하여 직사각형, 정사각형, 사다리꼴, 평행사변형, 마름모를 알고, 그 성질을 이해한다.
	다각형	4수02-11	다각형과 정다각형의 의미를 안다.
		4수02-12	주어진 도형을 이용하여 여러 가지 모양을 만들거나 채울 수 있다.
측정	시각과 시간	4수03-01	1분은 60초임을 알고, 초 단위까지 시각을 읽을 수 있다.
		4수03-02	초 단위까지의 시간의 덧셈과 뺄셈을 할 수 있다.
	길이	4수03-03	길이를 나타내는 새로운 단위의 필요성을 인식하여 1mm와 1km의 단위를 알고, 이를 이용하여 길이를 측정하고 어림할 수 있다.
		4수03-04	1cm와 1mm, 1km와 1m의 관계를 이해하고, 길이를 단명수와 복명수로 표현할 수 있다.
	들이	4수03-05	들이를 나타내는 표준 단위의 필요성을 인식하여 1L와 1mL의 단위를 알고, 이를 이용하여 들이를 측정하고 어림할 수 있다.
		4수03-06	1L와 1mL의 관계를 이해하고, 들이를 단명수와 복명수로 표현할 수 있다.
		4수03-07	실생활 문제 상황을 통하여 들이의 덧셈과 뺄셈을 이해한다.

	무게	4수03-08	무게를 나타내는 표준 단위의 필요성을 인식하여 1g과 1kg의 단위를 알고, 이를 이용하여 무게를 측정하고 어림할 수 있다.
		4수03-09	1kg과 1g의 관계를 이해하고, 무게를 단명수와 복명수로 표현할 수 있다.
		4수03-10	실생활에서 무게를 나타내는 새로운 단위의 필요성을 인식하여 1t의 단위를 안다.
		4수03-11	실생활 문제 상황을 통하여 무게의 덧셈과 뺄셈을 이해한다.
	각도	4수03-12	각의 크기의 단위인 1도(°)를 알고, 각도기를 이용하여 각의 크기를 측정하고 어림할 수 있다.
		4수03-13	주어진 각도와 크기가 같은 각을 그릴 수 있다.
		4수03-14	여러 가지 방법으로 삼각형과 사각형의 내각의 크기의 합을 추론하고, 자신의 추론 과정을 설명할 수 있다.
규칙성	규칙 찾기	4수04-01	다양한 변화 규칙을 찾아 설명하고, 그 규칙을 수나 식으로 나타낼 수 있다.
		4수04-02	규칙적인 계산식의 배열에서 계산 결과의 규칙을 찾고, 계산 결과를 추측할 수 있다.
자료와 가능성	자료의 정리	4수05-01	실생활 자료를 수집하여 간단한 그림그래프나 막대그래프로 나타낼 수 있다.
		4수05-02	연속적인 변량에 대한 자료를 수집하여 꺾은선그래프로 나타낼 수 있다.
		4수05-03	여러 가지 자료를 수집, 분류, 정리하여 자료의 특성에 맞는 그래프로 나타내고, 그래프를 해석할 수 있다.

초등학교 5~6학년

수와 연산	자연수의 혼합 계산	6수01-01	덧셈, 뺄셈, 곱셈, 나눗셈의 혼합 계산에서 계산하는 순서를 알고, 혼합 계산을 할 수 있다.
	약수와 배수	6수01-02	약수, 공약수, 최대공약수의 의미를 알고 구할 수 있다.
		6수01-03	배수, 공배수, 최소공배수의 의미를 알고 구할 수 있다.
		6수01-04	약수와 배수의 관계를 이해한다.
	분수의 덧셈과 뺄셈	6수01-05	분수의 성질을 이용하여 크기가 같은 분수를 만들 수 있다.
		6수01-06	분수를 약분, 통분할 수 있다.
		6수01-07	분모가 다른 분수의 크기를 비교할 수 있다.
		6수01-08	분모가 다른 분수의 덧셈과 뺄셈의 계산 원리를 이해하고 그 계산을 할 수 있다.
	분수의 곱셈과 나눗셈	6수01-09	분수의 곱셈의 계산 원리를 이해하고 그 계산을 할 수 있다.
		6수01-10	'(자연수)÷(자연수)'에서 나눗셈의 몫을 분수로 나타낼 수 있다.
		6수01-11	분수의 나눗셈의 계산 원리를 이해하고 그 계산을 할 수 있다.

	분수와 소수	6수01-12	분수와 소수의 관계를 이해하고 크기를 비교할 수 있다.
	소수의 곱셈과 나눗셈	6수01-13	소수의 곱셈의 계산 원리를 이해한다.
		6수01-14	'(자연수) ÷ (자연수)', '(소수) ÷ (자연수)'에서 나눗셈의 몫을 소수로 나타낼 수 있다.
		6수01-15	나누는 수가 소수인 나눗셈의 계산 원리를 이해한다.
		6수01-16	소수의 곱셈과 나눗셈의 계산 결과를 어림할 수 있다.
도형	합동과 대칭	6수02-01	구체적인 조작 활동을 통하여 도형의 합동의 의미를 알고, 합동인 도형을 찾을 수 있다.
		6수02-02	합동인 두 도형에서 대응점, 대응변, 대응각을 찾고, 그 성질을 이해한다.
		6수02-03	선대칭도형과 점대칭도형을 이해하고 그릴 수 있다.
	직육 면체와 정육 면체	6수02-04	직육면체와 정육면체를 알고, 구성 요소와 성질을 이해한다.
		6수02-05	직육면체와 정육면체의 겨냥도와 전개도를 그릴 수 있다.
	각기둥 과 각뿔	6수02-06	각기둥과 각뿔을 알고, 구성 요소와 성질을 이해한다.
		6수02-07	각기둥의 전개도를 그릴 수 있다.
	원기둥 과 원뿔	6수02-08	원기둥을 알고, 구성 요소, 성질, 전개도를 이해한다.
		6수02-09	원뿔과 구를 알고, 구성 요소와 성질을 이해한다.
	입체 도형의 공간 감각	6수02-10	쌓기나무로 만든 입체도형을 보고 사용된 쌓기나무의 개수를 구할 수 있다.
		6수02-11	쌓기나무로 만든 입체도형의 위, 앞, 옆에서 본 모양을 표현할 수 있고, 이러한 표현을 보고 입체도형의 모양을 추측할 수 있다.
측정	어림 하기	6수03-01	실생활 장면에서 이상, 이하, 초과, 미만의 의미와 쓰임을 알고, 이를 활용하여 수의 범위를 나타낼 수 있다.
		6수03-02	어림값을 구하기 위한 방법으로 올림, 버림, 반올림의 의미와 필요성을 알고, 이를 실생활에 활용할 수 있다.
	평면 도형의 둘레와 넓이	6수03-03	평면도형의 둘레를 재어보는 활동을 통하여 둘레를 이해하고, 기본적인 평면도형의 둘레의 길이를 구할 수 있다.
		6수03-04	넓이를 나타내는 표준 단위의 필요성을 인식하여 $1cm^2$, $1m^2$, $1km^2$의 단위를 알며, 그 관계를 이해한다.
		6수03-05	직사각형의 넓이를 구하는 방법을 이해하고, 이를 통하여 직사각형과 정사각형의 넓이를 구할 수 있다.
		6수03-06	평행사변형, 삼각형, 사다리꼴, 마름모의 넓이를 구하는 방법을 다양하게 추론하고, 이와 관련된 문제를 해결할 수 있다.
	원주율 과 원의 넓이	6수03-07	여러 가지 둥근 물체의 원주와 지름을 측정하는 활동을 통하여 원주율을 이해한다.
		6수03-08	원주와 원의 넓이를 구하는 방법을 이해하고, 이를 구할 수 있다.
	입체 도형의 겉넓이 와	6수03-09	직육면체와 정육면체의 겉넓이를 구하는 방법을 이해하고, 이를 구할 수 있다.
		6수03-10	부피를 이해하고, $1cm^3$, $1m^3$의 단위를 알며, 그 관계를 이해한다.

	부피	6수03-11	직육면체와 정육면체의 부피를 구하는 방법을 이해하고, 이를 구할 수 있다.
규칙성	규칙과 대응	6수04-01	한 양이 변할 때 다른 양이 그에 종속하여 변하는 대응 관계를 나타낸 표에서 규칙을 찾아 설명하고, □, △등을 사용하여 식으로 나타낼 수 있다.
	비와 비율	6수04-02	두 양의 크기를 비교하는 상황을 통해 비의 개념을 이해하고, 그 관계를 비로 나타낼 수 있다.
		6수04-03	비율을 이해하고, 비율을 분수, 소수, 백분율로 나타낼 수 있다.
	비례식과 비례 배분	6수04-04	비례식을 알고, 그 성질을 이해하며, 이를 활용하여 간단한 비례식을 풀 수 있다.
		6수04-05	비례배분을 알고, 주어진 양을 비례배분 할 수 있다.
자료와 가능성	평균	6수05-01	평균의 의미를 알고, 주어진 자료의 평균을 구할 수 있으며, 이를 활용할 수 있다.
	자료의 정리	6수05-02	실생활 자료를 그림그래프로 나타내고, 이를 활용할 수 있다.
		6수05-03	주어진 자료를 띠그래프와 원그래프로 나타낼 수 있다.
		6수05-04	자료를 수집, 분류, 정리하여 목적에 맞는 그래프로 나타내고, 그래프를 해석할 수 있다.
	가능성	6수05-05	실생활에서 가능성과 관련된 상황을 '불가능하다.', '~아닐 것 같다.', '반반이다.', '~일 것 같다.', '확실하다.' 등으로 나타낼 수 있다.
		6수05-06	가능성을 수나 말로 나타낸 예를 찾아보고, 가능성을 비교할 수 있다.
		6수05-07	사건이 일어날 가능성을 수로 표현할 수 있다.

중학교 1~3학년

	소인수 분해	9수01-01	소인수분해의 뜻을 알고, 자연수를 소인수분해 할 수 있다.
수와 연산		9수01-02	최대공약수와 최소공배수의 성질을 이해하고, 이를 구할 수 있다.
	정수와 유리수	9수01-03	양수와 음수, 정수와 유리수의 개념을 이해한다.
		9수01-04	정수와 유리수의 대소 관계를 판단할 수 있다.
		9수01-05	정수와 유리수의 사칙계산의 원리를 이해하고, 그 계산을 할 수 있다.
	유리수와 순환소수	9수01-06	순환소수의 뜻을 알고, 유리수와 순환소수의 관계를 이해한다.
	제곱근과 실수	9수01-07	제곱근의 뜻을 알고, 그 성질을 이해한다.
		9수01-08	무리수의 개념을 이해한다.
		9수01-09	실수의 대소 관계를 판단할 수 있다.
		9수01-10	근호를 포함한 식의 사칙계산을 할 수 있다.
	문자의 사용과 식의 계산	9수02-01	다양한 상황을 문자를 사용한 식으로 나타낼 수 있다.
		9수02-02	식의 값을 구할 수 있다.
		9수02-03	일차식의 덧셈과 뺄셈의 원리를 이해하고, 그 계산을 할 수 있다.

문자와 식	일차방정식	9수02-04	방정식과 그 해의 의미를 알고, 등식의 성질을 이해한다.
		9수02-05	일차방정식을 풀 수 있고, 이를 활용하여 문제를 해결할 수 있다.
	식의 계산	9수02-06	지수법칙을 이해한다.
		9수02-07	다항식의 덧셈과 뺄셈의 원리를 이해하고, 그 계산을 할 수 있다.
		9수02-08	'(단항식)×(다항식)', '(다항식)÷(단항식)'과 같은 곱셈과 나눗셈의 원리를 이해하고, 그 계산을 할 수 있다.
	일차부등식과 연립방정식	9수02-09	부등식과 그 해의 의미를 알고, 부등식의 성질을 이해한다.
		9수02-10	일차부등식을 풀 수 있고, 이를 활용하여 문제를 해결할 수 있다.
		9수02-11	미지수가 2개인 연립일차방정식을 풀 수 있고, 이를 활용하여 문제를 해결할 수 있다.
	다항식의 곱셈과 인수분해	9수02-12	다항식의 곱셈과 인수분해를 할 수 있다.
	이차방정식	9수02-13	이차방정식을 풀 수 있고, 이를 활용하여 문제를 해결할 수 있다.
함수	좌표평면과 그래프	9수03-01	순서쌍과 좌표를 이해한다.
		9수03-02	다양한 상황을 그래프로 나타내고, 주어진 그래프를 해석할 수 있다.
		9수03-03	정비례, 반비례 관계를 이해하고, 그 관계를 표, 식, 그래프로 나타낼 수 있다.
	일차함수와 그래프	9수03-04	함수의 개념을 이해한다.
		9수03-05	일차함수의 의미를 이해하고, 그 그래프를 그릴 수 있다.
		9수03-06	일차함수의 그래프의 성질을 이해하고, 이를 활용하여 문제를 해결할 수 있다.
	일차함수와 일차방정식의 관계	9수03-07	일차함수와 미지수가 2개인 일차방정식의 관계를 이해한다.
		9수03-08	두 일차함수의 그래프와 연립일차방정식의 관계를 이해한다.
	이차함수와 그래프	9수03-09	이차함수의 의미를 이해하고, 그 그래프를 그릴 수 있다.
		9수03-10	이차함수의 그래프의 성질을 이해한다.
기하	기본도형	9수04-01	점, 선, 면, 각을 이해하고, 점, 직선, 평면의 위치 관계를 설명할 수 있다.
		9수04-02	평행선에서 동위각과 엇각의 성질을 이해한다.
	작도와 합동	9수04-03	삼각형을 작도할 수 있다.
		9수04-04	삼각형의 합동 조건을 이해하고, 이를 이용하여 두 삼각형이 합동인지 판별할 수 있다.
	평면도형의 성질	9수04-05	다각형의 성질을 이해한다.
		9수04-06	부채꼴의 중심각과 호의 관계를 이해하고, 이를 이용하여 부채꼴의 넓이와 호의 길이를 구할 수 있다.
	입체도형의 성질	9수04-07	다면체의 성질을 이해한다.
		9수04-08	회전체의 성질을 이해한다.

		9수04-09	입체도형의 겉넓이와 부피를 구할 수 있다.
	삼각형과 사각형의 성질	9수04-10	이등변삼각형의 성질을 이해하고 설명할 수 있다.
		9수04-11	삼각형의 외심과 내심의 성질을 이해하고 설명할 수 있다.
		9수04-12	사각형의 성질을 이해하고 설명할 수 있다.
	도형의 닮음	9수04-13	도형의 닮음의 의미와 닮은 도형의 성질을 이해한다.
		9수04-14	삼각형의 닮음 조건을 이해하고, 이를 이용하여 두 삼각형이 닮음인지 판별할 수 있다.
		9수04-15	평행선 사이의 선분의 길이의 비를 구할 수 있다.
	피타고라스 정리	9수04-16	피타고라스 정리를 이해하고 설명할 수 있다.
	삼각비	9수04-17	삼각비의 뜻을 알고, 간단한 삼각비의 값을 구할 수 있다.
		9수04-18	삼각비를 활용하여 여러 가지 문제를 해결할 수 있다.
	원의 성질	9수04-19	원의 현에 관한 성질과 접선에 관한 성질을 이해한다.
		9수04-20	원주각의 성질을 이해한다.
확률과 통계	자료의 정리와 해석	9수05-01	자료를 줄기와 잎 그림, 도수분포표, 히스토그램, 도수분포다각형으로 나타내고 해석할 수 있다.
		9수05-02	상대도수를 구하며, 이를 그래프로 나타내고, 상대도수의 분포를 이해한다.
		9수05-03	공학적 도구를 이용하여 실생활과 관련된 자료를 수집하고 표나 그래프로 정리하고 해석할 수 있다.
	확률과 그 기본 성질	9수05-04	경우의 수를 구할 수 있다.
		9수05-05	확률의 개념과 그 기본 성질을 이해하고, 확률을 구할 수 있다.
	대푯값과 산포도	9수05-06	중앙값, 최빈값, 평균의 의미를 이해하고, 이를 구할 수 있다.
		9수05-07	분산과 표준편차의 의미를 이해하고, 이를 구할 수 있다.
	상관관계	9수05-08	자료를 산점도로 나타내고, 이를 이용하여 상관관계를 말할 수 있다.

고등학교(공통)

문자와 식	다항식의 연산	10수학01-01	다항식의 사칙연산을 할 수 있다.
	나머지정리	10수학01-02	항등식의 성질을 이해한다.
		10수학01-03	나머지정리의 의미를 이해하고, 이를 활용하여 문제를 해결할 수 있다.
	인수분해	10수학01-04	다항식의 인수분해를 할 수 있다.
	복소수와 이차방정식	10수학01-05	복소수의 뜻과 성질을 이해하고 사칙연산을 할 수 있다.
		10수학01-06	이차방정식의 실근과 허근의 뜻을 안다.
		10수학01-07	이차방정식에서 판별식의 의미를 이해하고 이를 설명할 수 있다.
		10수학01-08	이차방정식의 근과 계수의 관계를 이해한다.

	이차 방정식과 이차함수	10수학01-09	이차방정식과 이차함수의 관계를 이해한다.
		10수학01-10	이차함수의 그래프와 직선의 위치 관계를 이해한다.
		10수학01-11	이차함수의 최대, 최소를 이해하고, 이를 활용하여 문제를 해결할 수 있다.
	여러 가지 방정식과 부등식	10수학01-12	간단한 삼차방정식과 사차방정식을 풀 수 있다.
		10수학01-13	미지수가 2개인 연립이차방정식을 풀 수 있다.
		10수학01-14	미지수가 1개인 연립일차부등식을 풀 수 있다.
		10수학01-15	절댓값을 포함한 일차부등식을 풀 수 있다.
		10수학01-16	이차부등식과 이차함수의 관계를 이해하고, 이차부등식과 연립이차부등식을 풀 수 있다.
기 하	평면좌표	10수학02-01	두 점 사이의 거리를 구할 수 있다.
		10수학02-02	선분의 내분과 외분을 이해하고, 내분점과 외분점의 좌표를 구할 수 있다.
	직선의 방정식	10수학02-03	직선의 방정식을 구할 수 있다.
		10수학02-04	두 직선의 평행 조건과 수직 조건을 이해한다.
		10수학02-05	점과 직선 사이의 거리를 구할 수 있다.
	원의 방정식	10수학02-06	원의 방정식을 구할 수 있다.
		10수학02-07	좌표평면에서 원과 직선의 위치 관계를 이해한다.
	도형의 이동	10수학02-08	평행이동의 의미를 이해한다.
		10수학02-09	원점, 축, 축, 직선 $y=x$에 대한 대칭이동의 의미를 이해한다.
수 와 연 산	집합	10수학03-01	집합의 개념을 이해하고, 집합을 표현할 수 있다.
		10수학03-02	두 집합 사이의 포함 관계를 이해한다.
		10수학03-03	집합의 연산을 할 수 있다.
	명제	10수학03-04	명제와 조건의 뜻을 알고, '모든', '어떤'을 포함한 명제를 이해한다.
		10수학03-05	명제의 역과 대우를 이해한다.
		10수학03-06	충분조건과 필요조건을 이해하고 구별할 수 있다.
		10수학03-07	대우를 이용한 증명법과 귀류법을 이해한다.
		10수학03-08	절대부등식의 의미를 이해하고, 간단한 절대부등식을 증명할 수 있다.
함 수	함수	10수학04-01	함수의 개념을 이해하고, 그 그래프를 이해한다.
		10수학04-02	함수의 합성을 이해하고, 합성함수를 구할 수 있다.
		10수학04-03	역함수의 의미를 이해하고, 주어진 함수의 역함수를 구할 수 있다.
	유리함수 와 무리함수	10수학04-04	유리함수 $y=\dfrac{ax+b}{cx+d}$의 그래프를 그릴 수 있고, 그 그래프의 성질을 이해한다.
		10수학04-05	무리함수 $y=\sqrt{ax+b}+c$의 그래프를 그릴 수 있고, 그 그래프의 성질을 이해한다.

확률과 통계	경우의 수	10수학05-01	합의 법칙과 곱의 법칙을 이해하고, 이를 이용하여 경우의 수를 구할 수 있다.
	순열과 조합	10수학05-02	순열의 의미를 이해하고, 순열의 수를 구할 수 있다.
		10수학05-03	조합의 의미를 이해하고, 조합의 수를 구할 수 있다.

출처 교육부 고시 제2015-74호 [별책 8]

마치는 글

　두발자전거를 타는 법을 말로 설명하고, 그림으로 설명하고, 시범을 보여줘도 그것은 가르치는 사람의 것이다. 내가 직접 자전거를 타보지 않으면 이 모든 것은 무용지물이 되어버린다. 이 책뿐만 아니라 수많은 공부법, 노하우 등을 담은 책들을 읽는 것을 넘어서, 행동으로 취해야 진짜 나의 것이 된다.

　매해 수많은 아이를 만나면서 교과서 읽는 방법, 분석 방법, 노트 정리 방법을 수없이 일러줘도 한 반에 많아야 두 명 정도의 아이들이 실행에 옮긴다. 성인이 되면 효율적으로, 효과적으로, 능률을 증진하며, 빠르게, 일사천리로, 그리고 융통성 있게 처리해야 할 일들이 산더미다. 일을 잘하는 사람들은 어느 분야와 관계없이 자신이 해야 할 일들을 순차적으로 나열하여 말할 수 있다. 그러한 프로세스, 과정을 가지는 사람들 역시 하루아침에 할 수 있었던 것은 아니다. 학생 시절에 시험을 위해 공부 계획을 세우는 것, 아주 사소한 것부터 시작된 그들의 만들어진 습관이다.

공부를 잘하는 아이들만 성공한 인생을 사는 시대는 지났다. 내가 원하는 바를 알고 추진해 나가는 시대의 흐름에 맞추어, 수학은 이들이 맞이하는 수많은 선택과 결정에 올바른 판단을 하는 데 도움이 될 것임을 확신한다. 학교에서 배우는 수많은 과목의 교과서들은 각 분야의 전문가들이 모여 가장 쉽게 이해할 수 있도록 만든 책이다. 하지만 어디까지나 그들의 관점에서 만든 책이기 때문에 책을 읽는 학생들과 같은 독자의 시선으로 이 책을 바라보는 것이 중요하다. 각 도구의 쓰임을 알면 내가 원하는 바를 이루는데 적절히 도구를 활용할 수 있지 않은가? 교과서를 그렇게 사용하길 바란다. 교과서 저자는 아니지만, 교과서는 최대한 활용해야 한다고 생각한다.

나 역시도 매년 유인물들을 새롭게 제작한다. 더 이해하기 쉬운 접근 방법과 설명 방법, 학습 자료들을 업데이트 해나가며 최고의 수업보다 최선의 수업을 위해 수업 연구를 한다. 학교에 계신 선생님들은 모두 같은 마음으로 교단에 서리라 생각한다. 지금, 이 수업이 학생들에게 삶의 자양분이 되길 희망하면서 말이다. 알고 있는 내용이면 선생님의 설명 방법에 대해 귀 기울이고, 모르는 내용이면 이해하기 위해 노력하며 하교 후 교과서 정리와 노트 정리를 하며 공부한다면 기초가 탄탄한 상태에 이를 것이다. 그 상태가 지속

된다면 내 마음의 기저에는 자신감이 크게 자리할 것이다.

　이 방법으로 대학에서도 공부하는데 충분히 잘 쓰였다는 여러 제자의 말이 나에게 또 다른 힘이 되어 이 책을 만들 수 있게 하였다. '매일'을 이기는 것은 그 어디에도 없다. 차근차근 천천히 나아가다 보면 원하는 바에 도달할 것이다.